INTRODUCTION

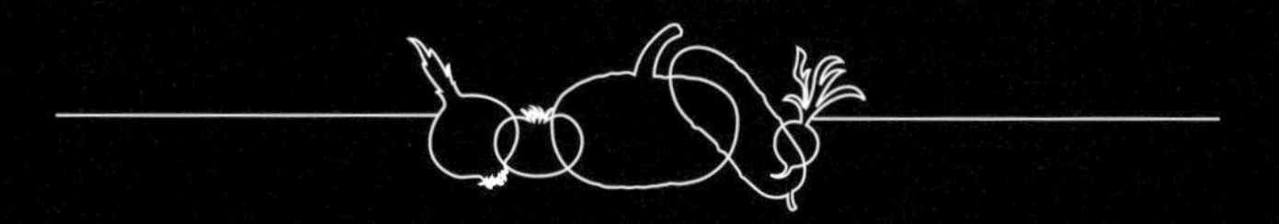

Ma démarche n'a échappé à personne, vous avez été nombreux à me féliciter et à me soutenir. Il y a près d'un an, j'ai en effet décidé, pour des raisons personnelles, de me prendre en main et d'entamer ce que j'appellerai une véritable introspection et une remise en question concernant mon alimentation, et surtout le gras.

J'ai choisi de faire un livre inspiré par ma propre expérience : j'ai dû en effet, durant cette période, revoir toute mon alimentation et me libérer du gras le plus possible. J'ai donc cherché des astuces et ai mis au point des techniques alternatives afin d'éviter de cuisinier avec du gras.

Attention, je ne livre pas ici une énième méthode de régime : je n'en ai en aucun cas les aptitudes ni l'envie. Je vous propose simplement plus de 50 recettes SANS gras certes mais surtout pas sans saveurs !

Car, en effet, le plus difficile de l'exercice a consisté à garder tout le plaisir et la gourmandise des aliments, de proposer des recettes qui donnent envie et même de retravailler les sauces. Je reste persuadé que c'est dans la contrainte que nous réalisons des prouesses, et je vous l'affirme : je me suis régalé ! Crème sans crème de topinambours, Œufs mimosa à l'anguille fumée, Échine de porc au four, légumes caramélisés, Fricassée de volaille, céleri, champignons, clémentine, Paillard de volaille, pousses d'épinards, ail et pimenton, Endives braisées, coriandre, orange, mais aussi mayonnaise, vinaigrette, sauce Caesar et de nombreuses autres sauces sans huile, etc. J'espère que plusieurs de ces recettes deviendront rapidement certains de vos classiques et, surtout, qu'elles vous feront le plus grand bien !

Je ne vous en dis pas plus ! Lancez-vous et, surtout, régalez-vous !

Jean-François Piège

SOMMAIRE

SAUCES

ENTRÉES

PLATS

TECHNIQUES

POUR CUISINER SANS GRAS

Supprimer les matières grasses en cuisine permet de manger plus léger, lorsqu'on fait attention à son poids, ou encore de prévenir les maladies cardiovasculaires liées à une alimentation trop riche en mauvaises graisses. Pour autant, il est possible de ne pas renoncer au plaisir de manger. Mais alors comment cuisiner sans utiliser de matières grasses ? Quels sont les modes de cuisson alternatifs ? C'est ce que je vous propose de découvrir avec ces 10 techniques inédites.

MA CUISSON À L'EAU

Cette technique consiste à démarrer la cuisson d'un légume ou d'une protéine en ayant pris soin de le saler ou de saler le récipient de cuisson à sec ou avec de l'eau. Il faut ensuite laisser cuire quelques minutes de chaque côté avec ou sans couvercle pour que les sels minéraux et autres exsudats se caramélisent dans le fond, que l'on viendra déglacer. Il est possible de déglacer, tout simplement à l'eau minérale tout en conservant le maximum de saveurs. J'aime, pour certaines recettes, déglacer les sucs avec des jus de légumes ou de fruits préalablement réalisés à l'aide d'une centrifugeuse.
À ce moment-là, ces déglaçages pourront servir de base de sauce ou de jus d'accompagnement.

MES MARINADES AU VINAIGRE OU AU CITRON

Une marinade est une composition aromatique liquide dans laquelle on immerge une viande, un poisson ou des légumes pendant un temps déterminé afin de les attendrir et/ou de les parfumer.
Pour ce faire, faites bouillir une marinade composée de vinaigre ou de citron, puis versez le liquide sur les ingrédients que vous souhaitez cuisiner. Laissez mariner.

MA CUISSON SUR DU SEL

La cuisson à sec s'effectue à feu vif et permet de préserver les saveurs et la jutosité. Pour réussir cette cuisson, il faut régler l'intensité du feu en fonction de la pièce que l'on souhaite griller et de son goût (bleu, saignant, à point ou bien cuit), après s'être assuré de la propreté du matériel de cuisson.
Pour ce faire, faites chauffer le sel ou le gros sel (que vous pouvez réutiliser plusieurs fois) dans une poêle et déposez les ingrédients que vous souhaitez cuisiner (si vous cuisinez un poisson, déposez-le côté peau). Couvrez et laissez cuire pendant quelques minutes, puis poursuivez la cuisson sans le couvercle. Pensez à retourner la pièce que vous grillez, une fois qu'une croûte s'est formée sur une face.

MA CUISSON ENTRE DEUX ASSIETTES

Voici une technique grâce à laquelle il est impossible de rater une cuisson. Il suffit de choisir des filets de poisson très fins ou d'ouvrir des viandes en portefeuille.
Pour ce faire, remplissez à moitié une casserole d'eau et mettez-la à bouillir. À ébullition, posez sur la casserole une assiette avec l'ingrédient que vous souhaitez cuisiner et couvrez avec une seconde assiette. Après quelques minutes, retournez et couvrez de nouveau avant de poursuivre la cuisson.

MA CUISSON SUR UN PAVÉ

J'ai eu l'idée de la cuisson sur un pavé lors de l'ouverture de mon restaurant *Clover* en 2014. J'ai décidé d'y proposer un plat que l'on cuit soi-même sur un « pavé parisien ». Pour ce faire, il suffit de chauffer le pavé dans un four ou sous une salamandre, puis de le sortir du four sans se brûler et de déposer les aliments au-dessus pour la cuisson.

MA CUISSON DANS DU RIZ

J'ai crée cette cuisson en 2014. C'est l'une des premières cuissons que j'ai réalisées pour créer mes Mijotés Modernes.
La cuisson dans du riz est une technique proche de celle en croûte, c'est-à-dire d'un aliment recouvert de gros sel. Ce mode de cuisson à l'étouffée conserve parfaitement la texture et les saveurs des aliments et permet d'éliminer les mauvaises graisses.
Pour ce faire, déposez les ingrédients que vous souhaitez cuisiner dans un plat à gratin, salez-les, puis recouvrez-les entièrement et uniformément de riz chaud. Enfournez, puis laissez reposer à la sortie du four avant de casser la croûte et de dresser.

MA CUISSON DANS DES FEUILLES COMME UNE PAPILLOTE

Cette méthode consiste à mettre les aliments dans des feuilles et à les refermer comme une papillote, puis à faire cuire l'ensemble au four.
Pour ce faire, il vous suffit de prendre des feuilles d'arbres fruitiers qui ont un goût agréable (comme les feuilles de figuier, de framboisier, de cassis, de châtaignier, etc.) et d'y placer les aliments que vous souhaitez cuire, de refermer les feuilles comme une papillote et d'enfourner.
La température et la durée de cuisson dépendent donc de l'aliment à cuire.
Dans mon restaurant gastronomique, j'aime cuire le homard en feuilles de cassis ou de figuier : le parfum des feuilles aromatise la chair du homard.
Il est aussi tout à fait possible d'utiliser la même technique en enveloppant complètement un ingrédient de foin.

MES MIJOTÉS MODERNES

Au quotidien, au *Grand Restaurant*, j'essaie de varier les cuissons pour jouer avec les saveurs mais aussi avec les textures.
Ma côte de veau, je la mijote sur des coquilles de noix qui viennent parfumer la chair, le chevreuil de chasse, je le grille sur des marrons chauds, mon canard mijote sur des noyaux d'olives. Et, en ce moment, je fais de nombreux essais sur le pin.

MA CUISSON À LA VAPEUR

La cuisson à la vapeur est bien entendu très intéressante lorsque l'on cherche à cuisiner sans gras : les aliments sont chauffés par la vapeur d'eau et non par le contact direct avec le feu ou le récipient. La vapeur se condense sur les aliments et leur transmet de la chaleur. C'est une cuisson très homogène car la vapeur enrobe bien les aliments. La cuisson ne dépassant pas 100 °C, elle limite l'altération, voire la destruction des vitamines et évite la formation de composés toxiques.
Pour ce faire, vous pouvez utiliser un cuit-vapeur ou tout simplement remplir une casserole à moitié d'eau, y déposer la passoire avec les aliments lorsque l'eau bout, puis la couvrir pour que la vapeur reste bien enfermée.

MES SAUCES SANS GRAS

Réaliser des sauces sans gras tout en conservant de la saveur et une belle texture n'est pas une mince affaire.
Pour apporter de la consistance sans utiliser de corps gras, faites tremper des feuilles de gélatine dans de l'eau froide. Faites-les fondre dans du bouillon de légumes chaud, puis laissez prendre au frais. Mixez la gelée jusqu'à l'obtention d'une texture lisse. Mélangez ou faites monter cette base avec le reste des ingrédients pour obtenir une vinaigrette ou une mayonnaise sans huile, par exemple.
Il est également possible de remplacer l'huile par du fromage blanc à 0 % de matières grasses que vous mixerez ou fouetterez pour bien émulsionner et ainsi obtenir une texture bien lisse.

MES INDISPENSABLES

Pour cuisiner sans gras, ayez toujours dans votre placard ou votre réfrigérateur :

- De la sauce soja.
- De la sauce Worcestershire.
- Du vinaigre (balsamique, de vin, de pomme, etc.).
- De la moutarde Dijon et de la moutarde en grains.
- Du Tabasco®.
- Des herbes fraîches (persil, coriandre, estragon, ciboulette, menthe, aneth, thym, laurier, sauge, etc.).
- Des épices (curry, pimenton, safran, ras-el-hanout, piment d'Espelette, badiane, coriandre en poudre, vadouvan, curcuma, etc.).
- De la poudre d'ail (épluchez et dégermez des gousses d'ail, émincez-les finement, faites-les sécher au four à 80 °C (th. 2-3), puis mixez).
- Du fromage blanc à 0 % de matières grasses.
- Des citrons (verts ou jaunes) et des oranges.
- Des feuilles de gélatine.
- Du bouillon de légumes.
- Du riz.
- Du gros sel.

Vous le verrez ci-après, vous utiliserez bien souvent ces ingrédients de base qui deviendront rapidement vos indispensables de la cuisine sans gras.

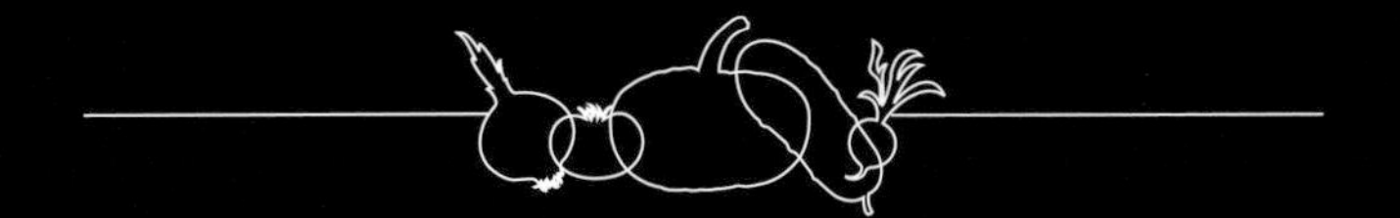

SAUCES

« VINAIGRETTE » SANS HUILE

POUR 1 BOL DE SAUCE TEMPS DE PRÉPARATION : 5 MIN TEMPS DE REPOS : 1 H

4 feuilles de gélatine
30 cl de bouillon de légumes
4 cuil. à café de sauce Worcestershire
1 cuil. à soupe de vinaigre de vin
Sel, poivre du moulin

1

Faites tremper les feuilles de gélatine dans l'eau froide. Faites-les fondre dans le bouillon de légumes chaud, puis laissez prendre au frais. Mixez la gelée jusqu'à l'obtention d'une texture lisse.

2

Ajoutez 3 cuil. à soupe de gelée mixée dans le mélange Worcestershire-vinaigre.

3

Émulsionnez au fouet jusqu'à l'obtention d'une texture huileuse.

À savoir

Vous pouvez conserver cette vinaigrette pendant 2 jours au réfrigérateur.

« MAYONNAISE » SANS HUILE

POUR 1 BOL DE SAUCE TEMPS DE PRÉPARATION : 5 MIN TEMPS DE REPOS : 1 H

4 feuilles de gélatine
30 cl de bouillon de légumes
1 cuil. à soupe de moutarde forte
1 jaune d'œuf
1 cuil. à soupe de vinaigre de vin (ou de jus de citron)
Sel

Faites tremper les feuilles de gélatine dans l'eau froide. Faites-les fondre dans le bouillon de légumes chaud, puis laissez prendre au frais. Mixez la gelée jusqu'à l'obtention d'une texture lisse.

1

Dans un bol, mettez la moutarde, le jaune d'œuf et le vinaigre, puis mélangez.

2

Ajoutez la gelée.

3

Montez la mayonnaise à la gelée à l'aide d'un mixeur jusqu'à l'obtention d'une texture onctueuse.

4

À savoir

Vous pouvez conserver cette mayonnaise pendant 2 jours au réfrigérateur.

SAUCE CAESAR SANS HUILE

POUR 1 BOL DE SAUCE TEMPS DE PRÉPARATION : 5 MIN

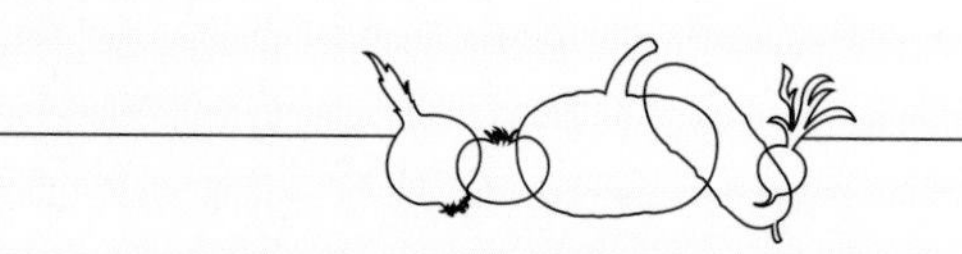

½ gousse d'ail
1 œuf dur
4 filets d'anchois au sel (dessalés)
1 grosse cuil. à soupe de moutarde
Quelques gouttes de Tabasco®
1 cuil. à café de sauce Worcestershire
7 grosses cuil. à soupe de fromage blanc à 0 % de matières grasses, battu
Le jus de ½ citron vert ou jaune
Sel

Pressez la gousse d'ail au presse-ail. Mettez l'ensemble des ingrédients (sauf le jus de citron) avec la moitié du fromage blanc dans le bol du mixeur. Salez.

1

Mixez jusqu'à l'obtention d'une texture bien lisse.

2

Ajoutez le reste de fromage blanc.
Mixez de nouveau.

3

Ajoutez le jus du demi-citron et mixez une dernière fois.

4

Conseils

- Cette sauce accompagne les crevettes et les poissons cuits à la vapeur.
- Si la sauce est devenue compacte après conservation au réfrigérateur, ajoutez 1 cuil. à café d'eau tiède pour la détendre.

SAUCE COCKTAIL SANS HUILE

POUR 1 BOL DE SAUCE TEMPS DE PRÉPARATION : 5 MIN

200 g de mayonnaise sans huile (voir page 14)
60 g de fromage blanc à 0 % de matières grasses
1 grosse cuil. à soupe de purée de tomates
½ cuil. à café de cognac
1 filet de vinaigre de vin rouge

Mélangez l’ensemble des ingrédients jusqu’à l’obtention d’une texture bien lisse.

SAUCE AÏOLI SANS HUILE

POUR 1 BOL DE SAUCE **TEMPS DE PRÉPARATION : 5 MIN** TEMPS DE REPOS : 25 MIN

4 cuil. à soupe de mayonnaise sans huile (voir page 14)
½ gousse d'ail haché
10 pistils de safran (ou 1 dosette de safran en poudre)
2 cuil. à soupe de fromage blanc à 0 % de matières grasses
Sel, poivre du moulin

Mixez la mayonnaise avec l'ail haché et le safran. Si vous utilisez des pistils, laissez reposer pendant 10 min, puis mixez de nouveau. Si vous utilisez du safran en poudre, cette étape n'est pas nécessaire.

Ajoutez le fromage blanc et mixez de nouveau. Rectifiez l'assaisonnement, puis laissez reposer pendant 15 min.

2

SAUCE ANCHOÏADE SANS HUILE

POUR 1 BOL DE SAUCE TEMPS DE PRÉPARATION : 5 MIN TEMPS DE REPOS : 15 MIN

5 cuil. à soupe de mayonnaise sans huile (voir page 14)
3 cuil. à soupe de fromage blanc à 0 % de matières grasses
6 filets d'anchois au sel
½ gousse d'ail haché

Mixez l'ensemble des ingrédients.

1

Laissez reposer pendant 15 min.

2

SAUCE RAIFORT SANS HUILE

POUR 1 BOL DE SAUCE TEMPS DE PRÉPARATION : 5 MIN

60 g de fromage blanc à 0 % de matières grasses
200 g de mayonnaise sans huile (voir page 14)
Le jus de ½ citron vert
1 cuil. à soupe de raifort râpé
Sel

Mixez le fromage blanc avec la mayonnaise.

Ajoutez le jus de citron et le raifort râpé
et mélangez jusqu'à l'obtention d'une texture bien
lisse. Rajoutez du raifort râpé selon votre goût.

2

SAUCE VERTE SANS HUILE

POUR 1 BOL DE SAUCE TEMPS DE PRÉPARATION : 5 MIN TEMPS DE REPOS : 15 MIN

¼ de botte d'estragon
¼ de botte de ciboulette
¼ de botte de persil plat
⅛ de botte de menthe
4 cuil. à soupe de mayonnaise sans huile (voir page 14)
3 cuil. à soupe de fromage blanc à 0 % de matières grasses
Sel, poivre du moulin

Faites bouillir de l’eau salée. Faites blanchir les herbes lavées et effeuillées.

1

Plongez-les immédiatement dans de l’eau glacée. Conservez 4 cuil. à soupe d’eau de cuisson des herbes.

2

Égouttez-les et mixez-les avec l’eau de cuisson réservée. Ajoutez la mayonnaise et le fromage blanc. Rectifiez l’assaisonnement, puis laissez reposer 15 min.

3

SAUCE TARTARE SANS HUILE

POUR 1 BOL DE SAUCE TEMPS DE PRÉPARATION : 5 MIN TEMPS DE REPOS : 15 MIN

1 cuil. à soupe de câpres
5 cornichons
¼ d'oignon blanc (ou 1 oignon nouveau)
¼ de botte de ciboulette
¼ de botte de persil
3 cuil. à soupe de mayonnaise sans huile (voir page 14)
2 cuil. à soupe de fromage blanc à 0 % de matières grasses
Sel, poivre du moulin

Hachez à l'aide d'un mixeur les câpres, les cornichons et l'oignon.

1

Ajoutez les herbes et mixez de nouveau.

2

Versez la mayonnaise et mixez encore. Ajoutez le fromage blanc et mixez de nouveau en augmentant la vitesse. Rectifiez l'assaisonnement, puis laissez reposer pendant 15 min.

3

Variante

Si vous aimez les sauces relevées, ajoutez 1 cuil. à soupe de moutarde.

SAUCE OSEILLE ET CITRON SANS HUILE

POUR 1 BOL DE SAUCE TEMPS DE PRÉPARATION : 5 MIN TEMPS DE REPOS : 15 MIN

1 botte d'oseille
Le jus ¼ de citron vert
3 cuil. à soupe de fromage blanc à 0 % de matières grasses
3 cuil. à soupe de mayonnaise sans huile (voir page 14)
1 pincée de sel
Poivre du moulin

Lavez l'oseille et mixez-la avec le jus de citron et le sel.

Ajoutez le fromage blanc et mixez de nouveau. Versez la mayonnaise et mixez de nouveau pendant 1 min pour bien émulsionner. Rectifiez l'assaisonnement et laissez reposer pendant 15 min.

2

SAUCE MIMOSA SANS HUILE

POUR 1 BOL DE SAUCE TEMPS DE PRÉPARATION : 10 MIN

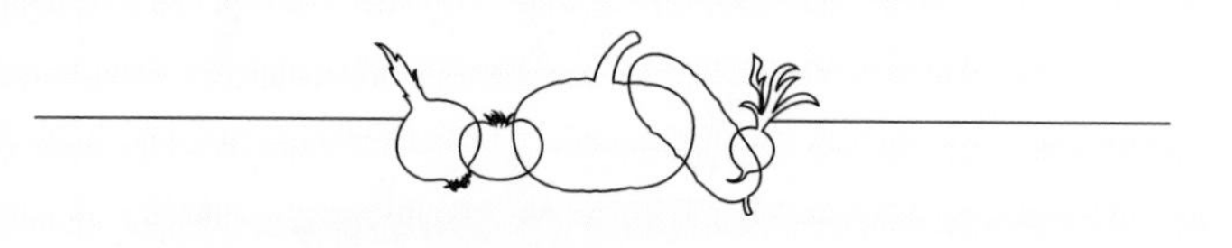

4 cuil. à soupe de fromage blanc à 0 % de matières grasses
1 cuil. à soupe de moutarde
1 cuil. à soupe de vinaigre de vin
1 trait de sauce Worcestershire
2 œufs durs
1 botte de ciboulette
Sel, poivre du moulin

Dans un bol, battez le fromage blanc, puis ajoutez la moutarde, le vinaigre de vin et la sauce Worcestershire. Salez et poivrez.

1

Fouettez bien.

2

Râpez les œufs durs (côté gros trous) dans la préparation précédente. Mélangez. Lavez et hachez la ciboulette et ajoutez-la. Mélangez de nouveau.

3

À savoir

– Cette sauce se conserve 1 jour au réfrigérateur.

– Elle accompagne des asperges blanches ou vertes, des crudités, des poireaux en salade, etc.

SAUCE AU CURRY SANS HUILE

POUR 1 BOL DE SAUCE TEMPS DE PRÉPARATION : 5 MIN

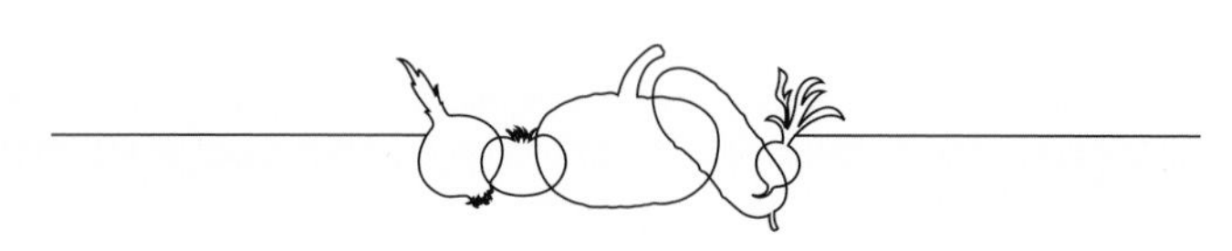

6 grosses cuil. à soupe de fromage blanc à 0 %
de matières grasses
Le zeste et le jus de 1 citron vert
Quelques gouttes de sauce Worcestershire
1 cuil. à café de curry
3 gouttes de Tabasco®
1 pincée de sel

Fouettez le fromage blanc avec l'ensemble des ingrédients.

À savoir

– Cette sauce se conserve plusieurs jours au réfrigérateur dans une boîte hermétique.
– Elle accompagne de la volaille, du poisson blanc cuit à la vapeur, des crevettes, des crudités, etc.

SAUCE AU FROMAGE BLANC À 0 %

POUR 1 BOL DE SAUCE TEMPS DE PRÉPARATION : 5 MIN

1 orange (non traitée)
1 citron vert (non traité)
1 pointe de gingembre frais
1 gousse d'ail
1 cuil. à soupe de sauce soja
¼ de botte de ciboulette
3 grosses cuil. à soupe de fromage blanc à 0 % de matières grasses
3 gouttes de Tabasco®
Sel, poivre du moulin

Lavez l'orange et le citron vert. Zestez-le citron en entier et l'orange à moitié. Pelez la pointe de gingembre et passez-la au zesteur. Épluchez l'ail et passez la pointe au zesteur.

1

Versez les jus du citron vert et de l'orange ainsi que la sauce soja.

2

Versez le fromage blanc et le Tabasco®, puis salez et poivrez. Mélangez. Lavez et ciselez la ciboulette. Ajoutez-la à la vinaigrette et mélangez.

3

SAUCE VIERGE

POUR 1 BOL DE SAUCE TEMPS DE PRÉPARATION : 5 MIN TEMPS DE MARINADE : 1 H

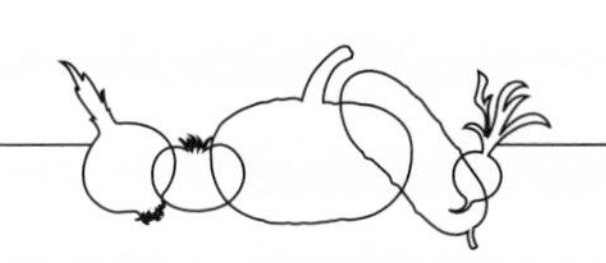

35 tomates cerise
1 citron vert
1 échalote
1 cuil. à soupe de sauce soja
1 bouquet de basilic
Fleur de sel

Lavez et coupez 20 tomates cerise en quatre. Dans un bol, déposez les quartiers de citron pelés et coupés en morceaux, l'échalote émincée en rouelles et la sauce soja. Arrosez de jus de citron et laissez mariner pendant 1 h.

1

Mixez le reste des tomates cerise pour faire un jus, puis filtrez.

2

Versez le jus dans le bol, ajoutez la fleur de sel et le basilic, puis mélangez bien.

3

« VINAIGRETTE » THAÏE SANS HUILE

POUR 1 BOL DE SAUCE TEMPS DE PRÉPARATION : 5 MIN

1 orange (non traitée)
1 citron vert (non traité)
1 pointe de gingembre frais
1 gousse d'ail
1 cuil. à soupe de sauce soja
¼ de botte de ciboulette

Lavez l'orange et le citron vert. Zestez-les à moitié. Pelez la pointe de gingembre et passez-la au zesteur. Épluchez l'ail et passez la pointe au zesteur.

2

Ajoutez le jus de ½ citron vert, le jus de l'orange et la sauce soja. Mélangez.

3

Lavez et ciselez la ciboulette. Ajoutez-la à la vinaigrette et mélangez.

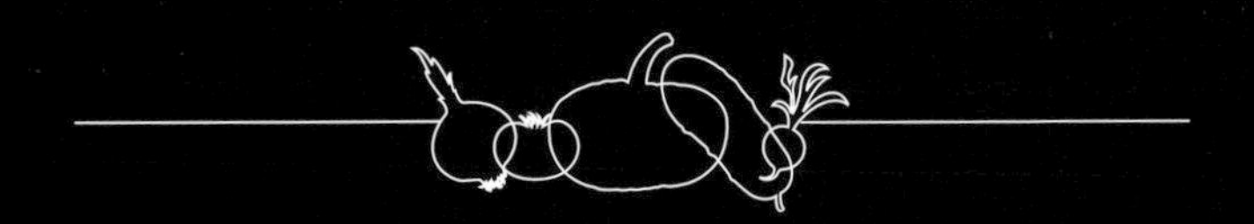

ENTRÉES

BOUILLON CITRONNELLE, GINGEMBRE, MENTHE ET SAINT-JACQUES

POUR 2 PERSONNES TEMPS DE PRÉPARATION : 10 MIN TEMPS D'INFUSION : 10 MIN **TEMPS DE CUISSON : 6 MIN**

4 coquilles Saint-Jacques (noix sans corail)
1 bâton de citronnelle
3 cm de gingembre frais
2 cébettes (ou oignons frais)
6 feuilles de menthe
Le jus et le zeste de 1 citron vert
1 cuil. à soupe de sauce soja
2 gouttes de Tabasco®
Sel

Émincez très finement la citronnelle en réservant le cœur. Épluchez et émincez le gingembre (réservez 1 tranche). Lavez et coupez les cébettes en biseaux. Lavez et ciselez la menthe. Coupez les noix de saint-jacques en quatre.
Dans une casserole, versez 50 cl d'eau, puis ajoutez la citronnelle et le gingembre. À ébullition, stoppez le feu et laissez infuser pendant 10 min.
Salez le bouillon.

1

Dans des soupières individuelles, déposez le cœur de citronnelle émincé, la menthe, le gingembre, les cébettes ciselées, le jus et le zeste du citron vert, la sauce soja et les noix de saint-jacques.

2

Réchauffez le bouillon et, lorsqu'il est bien chaud, versez-le dans les soupières en le filtrant. Rectifiez l'assaisonnement en sel, ajoutez le Tabasco®.
Dégustez sans attendre.

3

SOUPE DE TOMATES À LA MOUTARDE

POUR 2 PERSONNES TEMPS DE PRÉPARATION : 7 MIN

655 g de tomates
30 g de céleri branche (de préférence, le cœur)
La pointe de 1 piment oiseau (ou 2 gouttes de Tabasco®)
30 g de moutarde forte
2 pincées de sel

Lavez les tomates. Placez, dans un bol verseur, les tomates et le céleri coupés en morceaux, le sel et la pointe du piment.

1

Mixez pendant 1 min jusqu'à l'obtention d'un mélange bien lisse et émulsionné.

2

Ajoutez la moutarde. Mixez de nouveau pendant 15 s, puis dégustez.

3

CRÈME SANS CRÈME DE TOPINAMBOUR

POUR 4 PERSONNES TEMPS DE PRÉPARATION : 20 MIN TEMPS DE CUISSON : 45 MIN

1 kg de topinambours
1 l d'eau minérale
Sel

Préchauffez le four à 220 °C (th. 7-8). Lavez et pelez les topinambours en faisant des épluchures épaisses. Étalez-les sur une plaque de four et enfournez-les jusqu'à ce qu'elles soient torréfiées.

1

Versez l'eau minérale froide dans une casserole. Mettez les peaux torréfiées encore chaudes dans l'eau, puis laissez-les infuser. Portez à ébullition, faites cuire pendant 5 min et laissez infuser jusqu'à complet refroidissement. Filtrez.

2

Mettez à cuire les topinambours coupés en morceaux dans le bouillon en ayant pris soin d'en réserver quelques morceaux crus que vous détaillerez en dés.

3

Mettez les topinambours dans un récipient étroit.

4

Mixez à chaud. Ajustez la texture en ajoutant le bouillon au fur et à mesure. Plus vous mixerez, plus vous obtiendrez une texture crémeuse.

5

Dressez dans des assiettes creuses, puis parsemez de dés de topinambours crus.

6

Conseil

Si vous souhaitez réaliser une purée, mixez seulement les topinambours et dégustez le bouillon à part.

VELOUTÉ DE MOULES, CURRY, CITRON VERT

POUR 2 PERSONNES TEMPS DE PRÉPARATION : 20 MIN TEMPS DE CUISSON : 1 À 2 MIN

1,5 l de moules
1 échalote
1 gousse d'ail
½ verre de vin blanc
Le jus de 2 oranges
Le jus et le zeste de ½ citron vert
2 pincées de curry

Lavez et ébarbez les moules. Pelez et émincez l'échalote et l'ail. Mettez-les au fond de la sauteuse et ajoutez les moules, versez le vin blanc et 1 verre d'eau.

1

Couvrez et portez à ébullition pendant 1 à 2 min, le temps que les moules s'ouvrent.

2

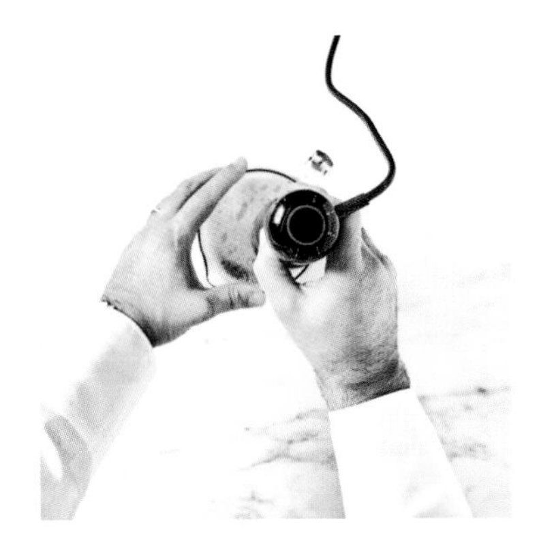

Filtrez le jus. Décortiquez les moules (réservez-en quelques-unes pour le dressage) et versez-les dans le jus filtré. Ajoutez l'échalote, le jus des oranges et du citron vert. Mixez, puis ajoutez le curry.

3

Filtrez la soupe et versez dans des assiettes creuses. Dressez avec quelques moules entières. Saupoudrez de curry et du zeste de citron vert.

4

OMELETTE AU CÉLERI

POUR 2 PERSONNES TEMPS DE PRÉPARATION : 5 MIN TEMPS DE CUISSON : 3 MIN 30 S

6 blancs d'œufs
200 g de pulpe de céleri (voir page 90)
2 pincées de ras-el-hanout
1 goutte de Tabasco®
1 cuil. à soupe de moutarde forte
1 pincée de sel

Mélangez les blancs d’œufs avec la pulpe de céleri.

1

Assaisonnez avec le ras-el-hanout, le Tabasco®, la moutarde et le sel.

2

Mélangez bien.

3

Versez la préparation dans une grande poêle antiadhésive. Mélangez pendant 30 s, le temps que la préparation prenne, puis laissez cuire pendant 3 min.

4

Roulez l’omelette dans la poêle et dressez-la dans un plat. Rectifiez en ras-el-hanout.

5

AUBERGINES CAESAR À LA FLAMME

POUR 4 PERSONNES TEMPS DE PRÉPARATION : 10 MIN TEMPS DE CUISSON : 2 H

2 aubergines
½ gousse d'ail
3 cuil. à soupe de fromage blanc à 0 % de matières grasses
3 cuil. à café de crème d'anchois à 0 % de matières grasses (ou d'anchois hachés)
Le jus de 1 citron jaune
2 gouttes de Tabasco®
1 petit bouquet de menthe
¼ de pain de campagne (ou de pain complet)

Brûlez les aubergines sur la flamme ou faites-les cuire au four à 200 °C (th. 6-7) pendant 2 h. Hachez la demi-gousse d'ail. Mixez-la avec les aubergines avec la peau après avoir ôté le pédoncule.

1

Ajoutez, dans le bol du mixeur, le fromage blanc, la crème d'anchois, le jus du citron et le Tabasco®, puis mixez de nouveau.

2

Dressez le caviar d'aubergines dans une assiette creuse. Parsemez de menthe ciselée et dégustez avec de très fines tranches de pain grillées au four.

3

ŒUFS MIMOSA À L'ANGUILLE FUMÉE

POUR 1 PERSONNE TEMPS DE PRÉPARATION : 7 MIN

2 œufs durs
100 g d'anguille fumée (ou saumon fumé)
2 cuil. à soupe de mayonnaise sans huile (voir page 14)
¼ de citron vert
6 brins de persil
Sel, poivre du moulin

Écalez les œufs durs et coupez-les en deux.
Récupérez les jaunes et râpez-les.
Conservez-les pour le dressage.

1

Hachez le poisson fumé en réservant 4 morceaux.
Mélangez le poisson, la mayonnaise, le jus
de citron, puis poivrez.

2

Remplissez les blancs d'œufs de cette préparation.

3

Dressez dans une assiette. Parsemez de persil
haché, de jaunes d'œufs râpés et de quelques
zestes de citron.

4

Salez et poivrez. Déposez un morceau d'anguille
sur chaque demi-œuf.

5

TARTE DE LÉGUMES

POUR 2 PERSONNES TEMPS DE PRÉPARATION : 10 MIN TEMPS DE CUISSON : 7 MIN

1 courgette
3 petits navets
1 carotte
1 tomate
1 branche de céleri
2 feuilles de brick
2 grosses pincées d'un mélange d'herbes fraîches et de fleurs comestibles
Sel

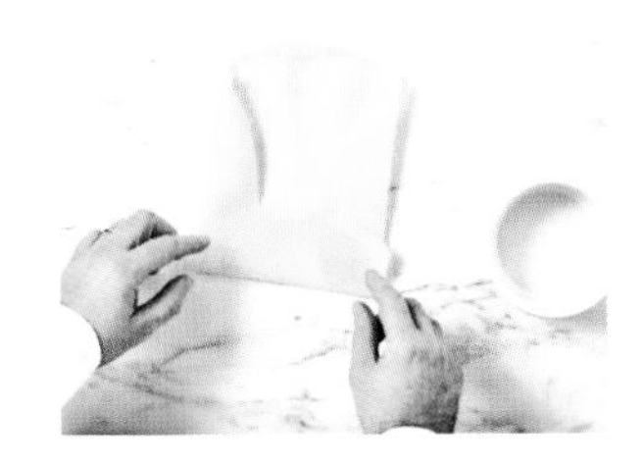

Préchauffez le four à 220 °C (th. 7-8). Rabattez les bords de chaque feuille de brick.

1

Placez chaque feuille de brick dans un moule à soufflé. Enfournez pour 4 min de cuisson.

2

Coupez la tomate en tranches, puis coupez chaque tranche en quatre. Lavez et grattez la carotte. Lavez et épluchez les navets. Lavez et émincez les légumes à l'aide d'une mandoline japonaise. Salez-les. Dans une poêle chaude, mettez les légumes. Couvrez et laissez cuire pendant 3 min.

3

Sortez les moules à soufflé du four et déposez les tulipes de brick dans des assiettes.

4

Déposez les légumes chauds dans les tulipes de brick. Parsemez d'un mélange d'herbes fraîches et de fleurs comestibles. Dégustez sans attendre.

5

MA SALADE DE TOMATES

POUR 2 PERSONNES TEMPS DE PRÉPARATION : 3 MIN

3 tomates de variétés différentes (noire de Crimée, tomate olive, tomate ananas, zebra, etc.)
8 cuil. à soupe de fromage blanc à 0 % de matières grasses (ou de sour cream 0 % de matières grasses)
8 cuil. à soupe de tomates mixées
½ oignon rouge
4 brins de coriandre
2 filets de jus de citron vert
2 pincées de fleur de sel

Lâchez des cuillerées à soupe de fromage blanc
et des cuillerées à soupe de pulpe de tomates
sur les assiettes de manière à les tapisser comme
un tableau.

1

Lavez et coupez les tomates en quartiers
et dressez-les harmonieusement dans les assiettes.

2

Émincez l'oignon. Lavez et ciselez la coriandre.
Parsemez d'oignon rouge et de coriandre.

3

Ajoutez la fleur de sel et 1 filet de jus
de citron vert dans chaque assiette.

4

BETTERAVES COMME UNE MOZZA

POUR 4 PERSONNES **TEMPS DE PRÉPARATION : 30 MIN** TEMPS DE CUISSON : 2 H **TEMPS DE REPOS : 2 H**

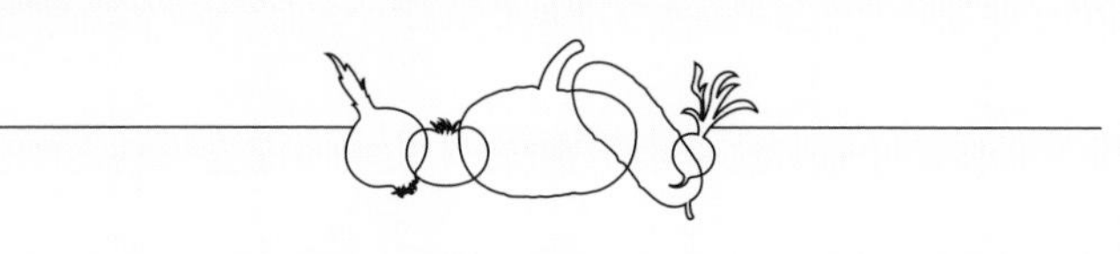

2 grosses betteraves
1 kg de gros sel
10 feuilles de gélatine
500 g de fromage blanc brassé à 0 % de matières grasses
15 cl de lait écrémé
1,5 g de sel fin
1 pomme verte
Vinaigre balsamique

Préchauffez le four à 200 °C (th. 6-7).
Sur une plaque de four, déposez une couche de gros sel, posez les betteraves dessus et recouvrez-les entièrement de sel.

1

Enfournez pour 2 h. Laissez tiédir, puis cassez la croûte de sel pour récupérer les betteraves.

2

Faites tremper les feuilles de gélatine dans l'eau froide. Mélangez le fromage blanc avec le lait écrémé. Salez. Dans une casserole, faites fondre la gélatine égouttée dans 1 cuil. à soupe d'eau. Hors du feu, versez le mélange fromage blanc-lait et fouettez. Transvasez dans un siphon et placez-le 2 h au réfrigérateur.

3

Épluchez les betteraves et coupez-les en gros bâtonnets. Détaillez la pomme sans l'éplucher en bâtonnets plus fins que ceux des betteraves. Dressez-les dans des assiettes plates.

4

Mettez 2 cartouches de gaz dans le siphon.
Déposez un dôme de mousse au fromage blanc au centre des betteraves et de la pomme. Poivrez et dégustez sans attendre.

5

SALADE CAESAR *HEALTHY*

POUR 4 PERSONNES TEMPS DE PRÉPARATION : 5 MIN

1 salade romaine
1 petit bol de sauce Caesar (voir page 16)
2 blancs de poulet cuits dans le riz (voir page 96)
4 cuil. à soupe de riz croustillant (riz de cuisson du poulet)
Quelques gouttes de vinaigre de vin
ou de jus de citron (facultatif)
Sel, poivre du moulin

Effeuillez et lavez la salade romaine. Coupez-la en morceaux de 2 cm de large et placez-les dans un saladier.

1

Ajoutez 1 grosse cuil. de sauce Caesar, salez, poivrez et mélangez bien. Ajoutez, si vous le souhaitez, quelques gouttes de vinaigre ou de jus de citron.

2

Émincez les blancs de poulet. Posez-les sur la salade. Versez de la sauce Caesar sur les morceaux de poulet.

3

Parsemez de croustilles de riz, poivrez et dégustez.

4

SALADE DE CABILLAUD, HARICOTS VERTS, CORIANDRE ET SAUCE SOJA

POUR 2 PERSONNES TEMPS DE PRÉPARATION : 10 MIN TEMPS DE CUISSON : 3 À 4 MIN

150 g de morue cuite 4 à 5 min au four ou au court-bouillon (ou reste de poisson)
300 g de haricots verts
¼ d'oignon rouge
5 à 6 brins de coriandre
Le jus de ½ citron vert
½ cuil. à soupe de sauce soja
Sel, poivre du moulin

Équeutez les haricots verts. Mettez-les à cuire dans l'eau bouillante salée pendant 3 à 4 min. Passez les haricots verts sous l'eau froide pour stopper la cuisson.

1

Émiettez les morceaux de poisson dans une assiette.

2

Arrosez de jus de citron vert et de sauce soja. Salez.

3

Hachez la coriandre. Mélangez, puis ajoutez 1 cuil. à café de coriandre hachée.

4

Déposez les haricots verts sur le poisson et mélangez. Pelez et émincez l'oignon rouge et déposez-le dans l'assiette. Poivrez et dégustez.

5

SAUMON AU VINAIGRE

POUR 2 PERSONNES TEMPS DE PRÉPARATION : 15 MIN TEMPS DE CUISSON : 5 MIN **TEMPS DE MARINADE : 30 MIN**

1 pavé de saumon
30 cl d'eau
20 cl de vinaigre de vin (ou vinaigre de pomme)
20 g de sel
10 g de miel
2 bâtons de citronnelle
5 g de coriandre
Mélange de 1 pincée de piment d'Espelette,
1 pincée de badiane en poudre
et 1 pincée de coriandre en poudre
¼ de chou-fleur
1 échalote
¼ de pomme verte
1 pincée de piment d'Espelette

Faites bouillir l'eau, le vinaigre, le sel, le miel, la citronnelle, la coriandre et le mélange d'épices.

1

Coupez des petites sommités dans le chou-fleur. Versez le liquide sur les sommités. Laissez mariner jusqu'à complet refroidissement.

2

Ôtez la peau du pavé de saumon, coupez-le en fines tranches de 1 cm de large. Mettez les tranches de saumon dans la marinade. Laissez-les mariner quelques minutes, jusqu'à ce qu'elles changent de couleur. Retirez les tranches de saumon de la marinade et laissez-les refroidir 5 min dans un plat froid.

3

Dressez les tranches dans des assiettes. Pelez et émincez l'échalote et mélangez-la avec les pickles de chou-fleur. Retirez-les de la marinade, puis déposez-les sur le saumon. Coupez les pommes en cubes et déposez-les sur le saumon. Saupoudrez de piment d'Espelette.

4

À savoir

Vous pouvez conserver au frais et utiliser la marinade pour une autre recette de pickles.

MON CEVICHE DE DAURADE, JUS DE FENOUIL

POUR 2 PERSONNES **TEMPS DE PRÉPARATION : 20 MIN** TEMPS DE MARINADE : 15 MIN

2 filets de daurade sans la peau
Le cœur de 1 fenouil
La pointe de 1 piment oiseau
(quantité à adapter en fonction de votre goût)
Les pluches de 1 fenouil (ou 1 botte d'aneth)
1 citron vert
Le jus de 2 fenouils centrifugés
5 ou 6 radis

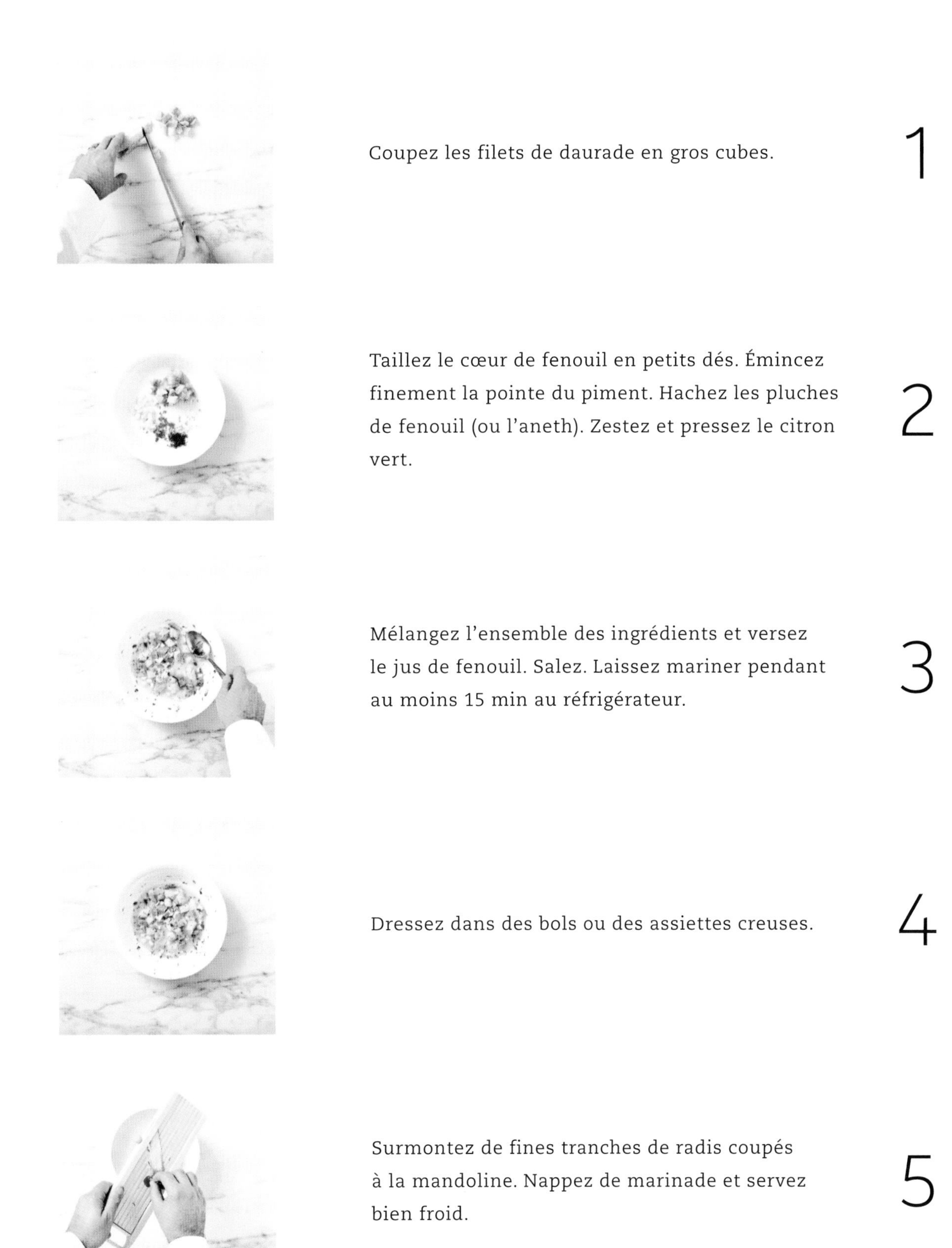

Coupez les filets de daurade en gros cubes.

1

Taillez le cœur de fenouil en petits dés. Émincez finement la pointe du piment. Hachez les pluches de fenouil (ou l'aneth). Zestez et pressez le citron vert.

2

Mélangez l'ensemble des ingrédients et versez le jus de fenouil. Salez. Laissez mariner pendant au moins 15 min au réfrigérateur.

3

Dressez dans des bols ou des assiettes creuses.

4

Surmontez de fines tranches de radis coupés à la mandoline. Nappez de marinade et servez bien froid.

5

À savoir

J'ai eu envie de faire un ceviche végétal, mais si vous souhaitez réaliser un ceviche traditionnel, faites mariner le poisson dans du jus de citron vert avec des oignons ciselés, de l'ail, du piment et de la coriandre hachée.

THON À CRU AU CHOU-FLEUR

POUR 1 PERSONNE TEMPS DE PRÉPARATION : 3 MIN

80 g de thon congelé (ou de bonite)
3 bouquets de choux-fleurs variés et multicolores
(chou romanesco, chou-fleur violet, mini-chou-fleur jaune, etc.)
1 pincée de fleur de sel
1 pincée de curry de Madras
3 brins de coriandre
1 filet de jus de citron vert

À l'aide d'une mandoline japonaise, tranchez au-dessus d'une assiette une couche de copeaux de thon congelé.

1

Toujours à l'aide d'une mandoline japonaise, râpez par-dessus les 3 bouquets de chou-fleur.

2

Salez à la fleur de sel. Saupoudrez de curry.

3

Parsemez de coriandre ciselée. Ajoutez un filet de jus de citron vert et dégustez immédiatement pour un effet fraîcheur ou 15 min après le dressage pour un côté moelleux.

4

SAUMON GRAVLAX

POUR 8 À 10 PERSONNES TEMPS DE PRÉPARATION : 15 MIN TEMPS DE REPOS : 16 H

½ filet de saumon (avec la peau mais écaillé et désarêté)
1 botte d'aneth
1 kg de gros sel
70 g de sucre
Le zeste de 3 citrons jaunes
Le zeste de 3 citrons verts
Mélange d'épices pour gravlax
(10 g de coriandre
et 10 g d'anis étoilé réduits en poudre)

Lavez et hachez l'aneth (réservez quelques pluches pour le dressage). Mélangez le mélange d'épices, le sel, le sucre, les zestes et l'aneth.

1

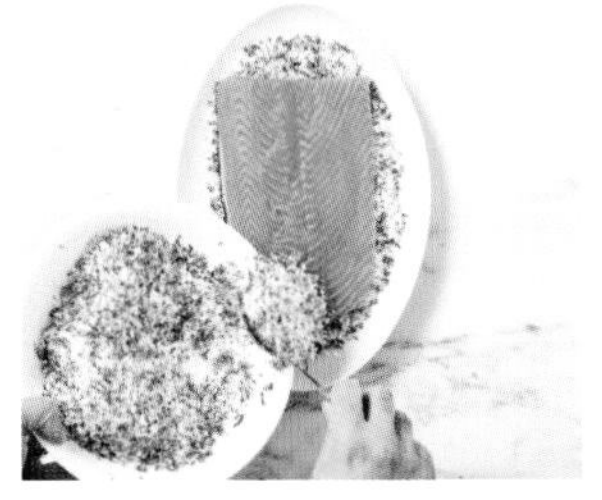

Déposez une partie du mélange dans le fond d'un plat, déposez le filet de saumon.

2

Recouvrez-le entièrement et placez au frais pendant 10 h.

3

Débarrassez le saumon du sel, puis passez-le sous l'eau et séchez-le avec un linge.

4

Frottez le saumon avec le mélange d'épices, puis filmez-le et laissez-le reposer au frais pendant 6 h. Coupez le saumon en tranches de 0,5 cm de large et servez avec des quartiers de citron vert et des pluches d'aneth.

5

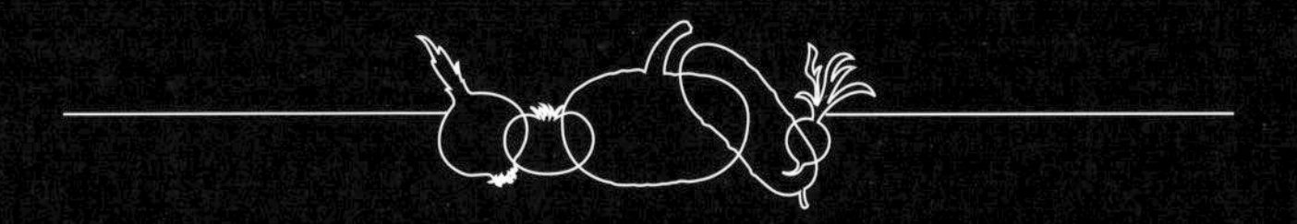

PLATS

MA TOMATE FARCIE EN PERSILLADE

POUR 2 PERSONNES TEMPS DE PRÉPARATION : 15 MIN TEMPS DE CUISSON : 25 MIN

5 tomates
1 gousse d'ail
10 g de persil
150 g de restes de viande cuite hachée (bœuf ou volaille)
1 cuil. à café de moutarde forte
Sel, poivre du moulin

Préchauffez le four à 220 °C (th. 7-8). Lavez et évidez 4 tomates. Mixez la dernière tomate avec la chair des 4 tomates précédemment évidées de manière à obtenir 100 g de pulpe de tomates. Pelez et dégermez l'ail. Lavez le persil. Hachez ensemble le persil et l'ail. Mélangez l'ensemble des ingrédients.

1

Salez les tomates, puis farcissez-les. Ajoutez 1 pincée de sel et 1 tour de moulin à poivre.

2

Couvrez de papier aluminium et enfournez pour 20 min. Retirez le papier aluminium et poursuivez la cuisson pendant 5 min.

3

POT-AU-FEU EXPRESS

POUR 1 PERSONNE **TEMPS DE PRÉPARATION : 20 MIN** **TEMPS DE CUISSON : 6 MIN** **TEMPS DE REPOS : 3 MIN**

150 g de bœuf haché
¼ d'oignon
2 à 3 cornichons
1 verre de bouillon de bœuf (par personne)
1 navet
1 carotte
1 radis
2 à 3 brins de persil
Sel, poivre du moulin

Pelez et hachez l'oignon. Émincez les cornichons. Assaisonnez la viande avec l'oignon, les cornichons, du sel et du poivre. Façonnez des boulettes et aplatissez-les un petit peu. Mettez le bouillon dans une poêle et portez à ébullition. Coupez le feu, ajoutez les boulettes et couvrez.

1

Après 3 min de cuisson, retournez les boulettes et portez de nouveau à ébullition. Couvrez, coupez le feu, puis laissez reposer 3 min.

2

Dressez les boulettes dans une assiette. Filtrez la sauce. Lavez, épluchez et coupez le navet, la carotte et le radis en fins bâtonnets et assaisonnez-les. Déposez-les sur les boulettes, saupoudrez de persil ciselé et dégustez sans attendre.

3

STEAK LAQUÉ

POUR 1 PERSONNE TEMPS DE PRÉPARATION : 5 MIN TEMPS DE CUISSON : 4 MIN

1 steak de bœuf (ou 1 pavé de bœuf)
2 cuil. à soupe de sauce soja
½ oignon nouveau
1 cm de racine de gingembre
½ gousse d'ail
40 g de pousses de soja
3 à 4 feuilles de coriandre
Sel, poivre du moulin

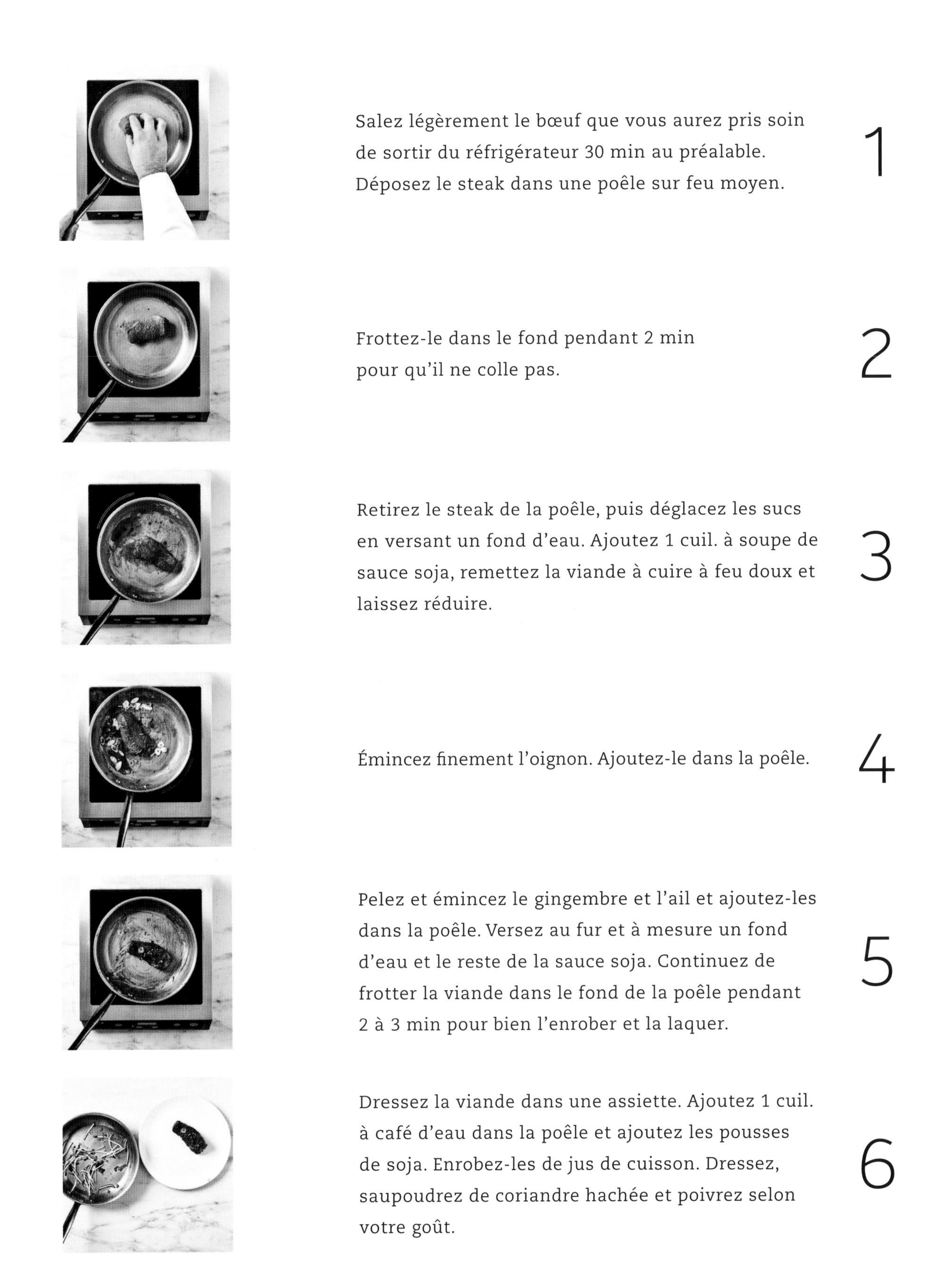

Salez légèrement le bœuf que vous aurez pris soin de sortir du réfrigérateur 30 min au préalable. Déposez le steak dans une poêle sur feu moyen.

1

Frottez-le dans le fond pendant 2 min pour qu'il ne colle pas.

2

Retirez le steak de la poêle, puis déglacez les sucs en versant un fond d'eau. Ajoutez 1 cuil. à soupe de sauce soja, remettez la viande à cuire à feu doux et laissez réduire.

3

Émincez finement l'oignon. Ajoutez-le dans la poêle.

4

Pelez et émincez le gingembre et l'ail et ajoutez-les dans la poêle. Versez au fur et à mesure un fond d'eau et le reste de la sauce soja. Continuez de frotter la viande dans le fond de la poêle pendant 2 à 3 min pour bien l'enrober et la laquer.

5

Dressez la viande dans une assiette. Ajoutez 1 cuil. à café d'eau dans la poêle et ajoutez les pousses de soja. Enrobez-les de jus de cuisson. Dressez, saupoudrez de coriandre hachée et poivrez selon votre goût.

6

ÉCHINE DE PORC AU FOUR, LÉGUMES CARAMÉLISÉS

POUR 4 PERSONNES **TEMPS DE PRÉPARATION : 10 MIN** TEMPS DE CUISSON : 2 H

1 morceau d'échine de porc
2 carottes
1 oignon
1 navet
2 tomates
1 branche de céleri
3 gousses d'ail
2 brins de thym
1 feuille de laurier
Sel, poivre du moulin

Préchauffez le four à 220 °C (th. 7-8). Grattez les carottes, puis coupez-les en trois. Épluchez les légumes et coupez-les en quatre. Épluchez les gousses d'ail. Placez les légumes, l'ail, le thym et le laurier au fond de la cocotte, puis posez l'échine de porc au-dessus. Salez, poivrez et couvrez. Enfournez pour 2 h.

1

Après 1 h de cuisson, poussez les légumes sur le côté pour que l'échine touche le fond de la cocotte.

2

Au bout de 1 h 30 de cuisson, versez un verre d'eau dans la cocotte et baissez la température du four à 180 °C (th. 6). Laissez cuire 30 min de plus.

3

Dressez les légumes dans un plat de service. Déposez les tranches d'échine sur les légumes et servez sans attendre.

4

Variante

Vous pouvez remplacer l'échine de porc par du quasi de veau.

SAUTÉ DE VEAU, NAVETS ET CACAO

POUR 1 PERSONNE **TEMPS DE PRÉPARATION : 15 MIN** TEMPS DE CUISSON : 11 À 13 MIN

1 escalope de veau
4 navets
2 oignons nouveaux (ou cébettes)
½ fève de cacao cru
Cacao en poudre
Sel

Épluchez les navets, puis coupez-les en deux. Mettez les navets dans une poêle, salez-les, ajoutez un fond d'eau, couvrez et faites cuire pendant 2 min. Ajoutez le veau coupé en cubes, puis salez.

1

Déglacez avec de l'eau.

2

Laissez cuire pendant 6 à 8 min en retournant les navets et le veau à mi-cuisson. Laissez caraméliser à feu doux à couvert. Déglacez de nouveau avec 2 cuil. à soupe d'eau.

3

Décollez les sucs en grattant le fond de la poêle avec une cuillère à soupe. Prolongez la cuisson de 3 min.

4

Émincez les oignons nouveaux et ajoutez-les dans la poêle.

5

Déglacez avec 2 cuil. à soupe d'eau et décollez bien les sucs. Laissez cuire 2 min supplémentaires.

6

Dressez dans des assiettes. Saupoudrez de fève de cacao concassée et de cacao en poudre. Arrosez de jus de cuisson.

7

BOULETTES D'AGNEAU ET TABOULÉ DE CHOU-FLEUR

POUR 2 PERSONNES **TEMPS DE PRÉPARATION : 10 MIN** TEMPS DE CUISSON : 6 À 8 MIN

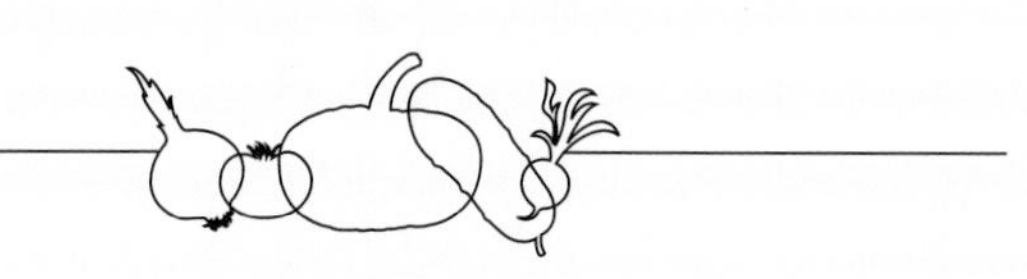

¼ de brocoli
¼ de chou-fleur
1 gousse d'ail
½ oignon
3 branches de persil
320 g de gigot d'agneau haché (morceau peu gras)
2 graines de coriandre
Le jus de ½ citron vert
1 pincée de piment d'Espelette
Sel

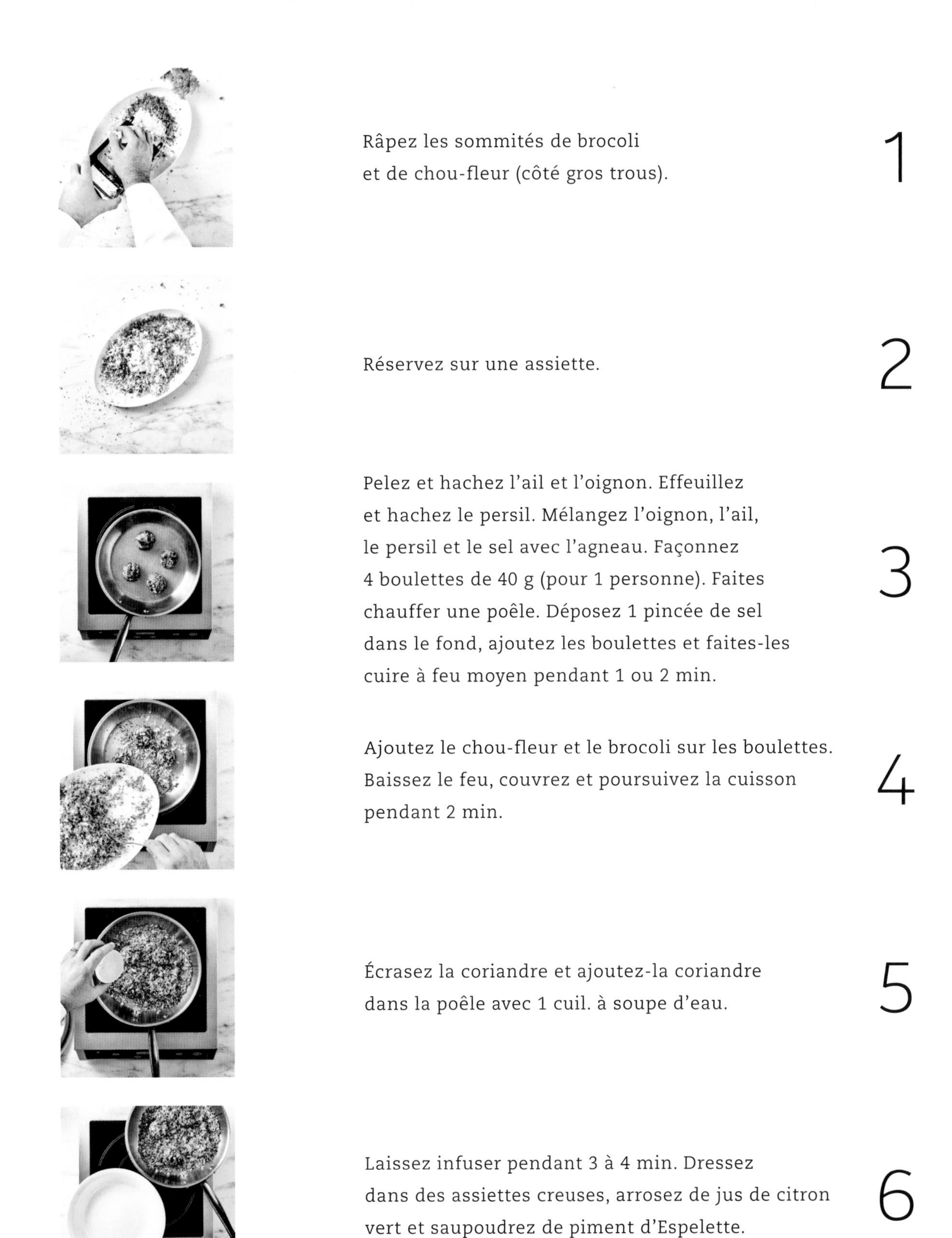

Râpez les sommités de brocoli
et de chou-fleur (côté gros trous).

1

Réservez sur une assiette.

2

Pelez et hachez l'ail et l'oignon. Effeuillez
et hachez le persil. Mélangez l'oignon, l'ail,
le persil et le sel avec l'agneau. Façonnez
4 boulettes de 40 g (pour 1 personne). Faites
chauffer une poêle. Déposez 1 pincée de sel
dans le fond, ajoutez les boulettes et faites-les
cuire à feu moyen pendant 1 ou 2 min.

3

Ajoutez le chou-fleur et le brocoli sur les boulettes.
Baissez le feu, couvrez et poursuivez la cuisson
pendant 2 min.

4

Écrasez la coriandre et ajoutez-la coriandre
dans la poêle avec 1 cuil. à soupe d'eau.

5

Laissez infuser pendant 3 à 4 min. Dressez
dans des assiettes creuses, arrosez de jus de citron
vert et saupoudrez de piment d'Espelette.

6

Variante

Il est possible de réaliser la recette avec une viande plus maigre.

FRICASSÉE DE VOLAILLE, CÉLERI, CHAMPIGNONS, CLÉMENTINE

POUR 2 PERSONNES **TEMPS DE PRÉPARATION : 20 MIN** TEMPS DE CUISSON : 12 MIN

2 blancs de poulet (avec la peau)
1 échalote
8 champignons de Paris
6 cuil. à soupe de jus de céleri rave
Le jus et le zeste de 1 clémentine
1 pincée de curry
Sel

Coupez le poulet en lanières (conservez la peau). Déposez du sel au fond d'une poêle à feu doux et mettez le poulet à cuire sur la peau pendant 3 min.

1

Pelez et émincez l'échalote. Lavez et coupez les champignons en quatre. Quand le poulet commence à caraméliser, ajoutez l'échalote et les champignons et couvrez. Laissez roussir pendant 3 à 4 min. Retournez la volaille et poursuivez la cuisson pendant 3 min.

2

Retirez la volaille de la poêle, puis déglacez au jus de céleri en grattant le fond de la poêle pour récupérer les sucs. Couvrez et laissez cuire les champignons pendant 1 min. Ajoutez le jus de clémentine et poursuivez la cuisson pendant 1 min.

3

Coupez le feu, ajoutez le poulet dans la poêle pour l'enrober de sauce. Dressez et saupoudrez de curry et du zeste de la clémentine.

4

PAILLARD DE VOLAILLE, POUSSES D'ÉPINARDS, AIL ET PIMENTON

POUR 2 PERSONNES **TEMPS DE PRÉPARATION : 5 MIN** TEMPS DE CUISSON : 6 MIN

350 g de filets de poulet
2 grosses pincées de sel
200 g de pousses d'épinards
4 grosses pincées de pimenton
4 grosses pincées de poudre d'ail
2 champignons de Paris

Ouvrez les filets de poulet en portefeuille. Faites chauffer une poêle. Salez les filets et déposez-les à sec dans la poêle.

1

Laissez cuire pendant 1 min. Retournez-les et faites cuire pendant 1 min sur l'autre face. Ôtez les filets de la poêle. Déglacez avec 5 cl d'eau. Remettez les filets dans la poêle et faites cuire pendant 1 min supplémentaire pour les enrober de sauce.

2

Ajoutez les pousses d'épinards. Couvrez avec une assiette et laissez cuire pendant 2 min. Ajoutez 2 grosses pincées de pimenton et 2 grosses pincées de poudre d'ail.

3

Dressez les filets de poulet et les épinards sur un plat de service. Nappez de jus de cuisson. Ajoutez le reste de pimenton et de poudre d'ail.

4

À l'aide d'une mandoline japonaise, émincez les champignons de Paris au-dessus du plat.

5

POULET AU FOUR, PIMENTON, AIL ET PERSIL

POUR 4 PERSONNES TEMPS DE PRÉPARATION : 10 MIN TEMPS DE CUISSON : 12 MIN

2 blancs de poulet
1 cuil. à soupe de moutarde
1 botte de persil plat
½ gousse d'ail
4 pincées de pimenton (paprika fumé)
2 grosses cuil. à soupe de fromage blanc
à 0 % de matières grasses
Sel, poivre du moulin

Préchauffez le four à 200 °C (th. 6-7). Déposez les blancs de poulet dans un plat à four, puis salez-les. Badigeonnez-les de moutarde.
Parsemez-les de persil grossièrement haché.
Concassez l'ail et déposez-le sur la viande.
Saupoudrez de pimenton.

1

Nappez de fromage blanc battu et enfournez pour 12 min.

2

Après 5 min de cuisson, ajoutez 2 cuil. à soupe d'eau, puis répétez l'opération au bout de 9 min de cuisson.

3

Dressez dans un plat de service. Salez. Parsemez de persil ciselé. Accompagnez de quelques feuilles de salade.

4

POULET CUIT DANS DU RIZ, SAUCE AU CURRY

POUR 2 PERSONNES **TEMPS DE PRÉPARATION : 10 MIN** TEMPS DE CUISSON : 14 MIN **TEMPS DE REPOS : 14 MIN**

2 blancs de poulet
Riz basmati (ou de riz parfumé) cuit au rice cooker
2 grosses cuil. à soupe de sauce au curry sans huile
(voir page 34)
Sel

Préchauffez le four à 220 °C (th. 7-8). Salez les blancs de poulet. Dans un plat à gratin, déposez une couche de riz, les blancs de poulet et recouvrez-les entièrement et uniformément de riz chaud.

1

Enfournez pour 14 min, puis laissez reposer pendant 14 min.

2

Dressez le riz et les blancs de poulet dans un plat de service avec 1 cuil. à soupe de sauce curry.

3

SAUMON CUIT SUR DU SEL

POUR 1 PERSONNE TEMPS DE PRÉPARATION : 15 MIN TEMPS DE CUISSON : 10 À 11 MIN

1 pavé de saumon avec la peau
1 brin d'estragon
1 échalote
20 g de raifort frais (ou fermenté)
60 g de fromage blanc à 0 % de matières grasses
Le zeste et le jus de 1 citron vert
1 grappe de tomates cerise
1 trait de Tabasco®
Le jus de ½ citron vert
Gros sel

Lavez et hachez l'estragon. Pelez et hachez l'échalote. Râpez le raifort.

1

Mélangez l'estragon, l'échalote, le raifort, le fromage blanc, le zeste, le jus de citron et le Tabasco®.

2

Faites chauffer le gros sel dans une poêle et déposez le saumon côté peau.

3

Couvrez pendant 3 min, puis laissez cuire 5 à 6 min supplémentaires sans le couvercle.

4

Retirez le saumon de la poêle, puis retirez la peau.

5

Coupez les tomates cerise en deux. Déposez la sauce au centre d'une assiette. Posez le saumon au-dessus et répartissez les tomates cerise autour. Déposez quelques grains de sel sur le poisson. Arrosez d'un filet de jus de citron.

6

À savoir

Vous pouvez réutiliser le gros sel plusieurs fois.

FILETS DE LIMANDE-SOLE, POIREAUX

POUR 2 PERSONNES **TEMPS DE PRÉPARATION : 10 MIN** **TEMPS DE CUISSON : 10 MIN**

4 filets de limande-sole
1 poireau
30 cl de jus de pomme sans sucre
(3 à 4 Granny Smith passées à la centrifugeuse)
½ pomme verte
¼ de gousse de vanille
Sel

Lavez le poireau, coupez-le en deux dans la longueur, puis émincez-le. Faites chauffer une poêle, déposez du sel, versez 1 cuil. à soupe d'eau, ajoutez le poireau et couvrez pendant 2 à 3 min, puis faites cuire sans le couvercle jusqu'à caramélisation.

1

Déglacez avec le jus de pomme. Coupez la pomme en cubes, ajoutez-les dans la poêle et laissez cuire pendant 2 à 3 min.

2

Pliez les filets de limande-sole en deux et déposez-les dans la poêle après avoir baissé le feu. Laissez cuire pendant 1 min de chaque côté. Retirez les filets de la poêle, puis salez-les.

3

Écrasez les cubes de pomme à la fourchette. Grattez la gousse de vanille pour en récupérer les grains et mettez-les dans la poêle. Laissez infuser pendant 1 min. Dressez les poireaux dans des assiettes creuses, déposez les filets de limande-sole dans chacune et arrosez de sauce. Servez sans attendre.

4

SAINT-PIERRE AU FOUR, SAUCE VIERGE

POUR 2 PERSONNES **TEMPS DE PRÉPARATION : 15 MIN** TEMPS DE CUISSON : 6 MIN **TEMPS DE MARINADE : 1 H**

1 filet de saint-pierre
3 cuil. à soupe de sauce vierge (voir page 38)
2 à 3 brins de basilic
Fleur de sel

Préchauffez le four à 80 °C (th. 2-3). Enfournez le saint-pierre pour 6 min. Préparez la sauce vierge.

Lavez et ciselez le basilic. Dressez la sauce vierge dans le fond des assiettes et déposez le poisson dessus. Parsemez de basilic et de fleur de sel.

2

MERLAN ET SPAGHETTI D'ASPERGES

POUR 1 PERSONNE **TEMPS DE PRÉPARATION : 15 MIN** **TEMPS DE CUISSON : 4 À 6 MIN**

100 g d'asperges blanches
2 bonnes pincées de sel
180 g de filets de merlan
1 à 2 belles feuilles de sauge
4 brins de ciboulette
1 belle pincée de vadouvan
Le zeste de 1 citron vert

Taillez les asperges à l'aide d'une mandoline japonaise.

1

Faites chauffer une poêle, déposez du sel, versez 1 cuil. à soupe d'eau, ajoutez les asperges.

2

Couvrez pendant 1 min, puis faites cuire sans le couvercle jusqu'à caramélisation. Déglacez avec 2 cuil. à soupe d'eau.

3

Laissez cuire jusqu'à caramélisation.

4

Déposez le merlan recouvert de sauge sur les asperges, baissez le feu et couvrez. Laissez cuire pendant 45 s, retournez le poisson, puis poursuivez la cuisson à feu moyen à couvert pendant 45 s. Réservez le poisson et déglacez la sauteuse avec 1 cuil. à soupe d'eau. Dressez de poisson et les asperges. Parsemez de ciboulette ciselée et de vadouvan. Ajoutez le zeste du citron vert. Nappez de jus de cuisson.

5

MERLU CUIT ENTRE DEUX ASSIETTES, POUSSES D'ÉPINARDS ET VADOUVAN

POUR 2 PERSONNES TEMPS DE PRÉPARATION : 5 MIN TEMPS DE CUISSON : 3 À 4 MIN

2 filets de merlu
300 g de pousses d'épinards
1 pincée de vadouvan
1 pincée de poudre d'ail
Sel

Lavez les épinards et enlevez les côtes. Remplissez à moitié une casserole d'eau et mettez-la à bouillir. Quand l'eau bout, posez sur la casserole une assiette avec les filets de merlu.

1

Couvrez avec une seconde assiette. Au bout de 1 min de cuisson, retournez les filets de merlu et couvrez de nouveau.

2

Après 1 à 2 min, ajoutez les épinards sur le poisson, couvrez, puis laissez cuire 1 min supplémentaire. Assaisonnez de poudre d'ail, de vadouvan et de sel.

3

CABILLAUD ET CAROTTES À LA MOUTARDE

POUR 2 PERSONNES **TEMPS DE PRÉPARATION : 15 MIN** TEMPS DE CUISSON : 7 À 8 MIN

2 carottes
180 g de jus de carotte (4 carottes passées à la centrifugeuse)
2 pavés de cabillaud
1 cuil. à café de moutarde en grains
1 cuil. à café de moutarde de Dijon
Sel

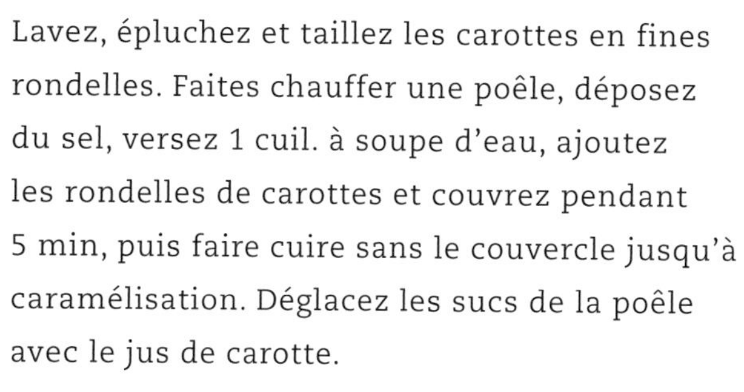

Lavez, épluchez et taillez les carottes en fines rondelles. Faites chauffer une poêle, déposez du sel, versez 1 cuil. à soupe d'eau, ajoutez les rondelles de carottes et couvrez pendant 5 min, puis faire cuire sans le couvercle jusqu'à caramélisation. Déglacez les sucs de la poêle avec le jus de carotte.

1

Coupez les pavés de cabillaud en gros cubes et ajoutez-les dans la poêle, puis faites cuire pendant 1 à 2 min.

2

Dressez les rondelles de carottes et le poisson dans des assiettes creuses. Ajoutez un peu de jus de carotte et les deux moutardes dans le jus de la poêle.

3

Faites chauffer à feu doux en mélangeant.

4

Nappez le poisson et les rondelles de carottes de sauce.

5

DOS DE COLINEAU CUIT EN FEUILLE DE FIGUIER, FIGUES

POUR 2 PERSONNES TEMPS DE PRÉPARATION : 15 MIN TEMPS DE CUISSON : 7 MIN

2 filets de dos de colineau
6 figues
6 feuilles de figuier
2 bâtons de cannelle
Le zeste de 2 oranges
Le zeste de 2 citrons verts
Le jus de 3 oranges
Quelques gouttes de citron vert

Coupez les figues en rondelles. Lavez les feuilles de figuier, déposez-les dans le fond de plat à gratin, puis posez 1 filet de poisson par-dessus et répartissez les figues autour du colineau. Cassez les bâtons de cannelle et ajoutez-les autour du poisson. Ajoutez les zestes d'orange et de citron vert.

1

Préchauffez le four à 200 °C (th. 6-7). Repliez les feuilles de figuier comme des papillotes sur le poisson.

2

Enfournez pour 7 min.

3

Dressez les papillotes ouvertes dans des assiettes.

4

Récupérez le jus de cuisson et déglacez-le avec le jus d'orange, quelques gouttes de jus de citron vert, 1 tranche de figue écrasée et faites chauffer jusqu'à l'obtention d'une petite ébullition.

5

Laissez réduire, puis nappez le poisson de cette sauce.

6

CREVETTES, FENOUIL CARAMÉLISÉ À L'ORANGE

POUR 2 PERSONNES **TEMPS DE PRÉPARATION : 5 MIN** TEMPS DE CUISSON : 6 À 8 MIN

1½ fenouil
Le jus de 1 orange
8 crevettes
1 pincée de poudre d'ail
1 pincée de piment d'Espelette
Le zeste de 1 citron vert
Sel

Lavez et coupez le fenouil en deux, puis en tranches. Faites chauffer une poêle, déposez du sel, versez 1 cuil. à soupe d'eau, ajoutez le fenouil et couvrez pendant 2 à 3 min, puis faites cuire sans le couvercle jusqu'à caramélisation.

1

Arrosez du jus de l'orange.

2

Déglacez à l'eau en mouillant presque à hauteur.

3

Ajoutez-les queues de crevettes dans la poêle et enrobez-les de sauce. Couvrez pendant 1 à 2 min. Ajoutez les pluches hachées du fenouil, la poudre d'ail et le piment d'Espelette. Dressez avec la poudre d'ail, le piment d'Espelette et le zeste de citron vert.

4

NOIX DE SAINT-JACQUES CUITES SUR PAVÉ PARISIEN, TOMATES À LA PROVENÇALE

POUR 2 PERSONNES **TEMPS DE PRÉPARATION : 10 MIN** **TEMPS DE CUISSON : 9 MIN**

8 noix de saint-jacques
1 pincée d'ail séché (ou de poudre d'ail) (voir page 9)
3 à 4 brins de persil
20 tomates cerise
Sel, poivre du moulin

Préchauffez le four à 200 °C (th. 6-7). Lavez et coupez les tomates cerise en deux, déposez-les dans un plat à gratin, salez-les et enfournez pour 5 min.

1

Lavez et hachez le persil. Saupoudrez les tomates cerise de persil haché et enfournez de nouveau 2 min. À la sortie du four, ajoutez la poudre d'ail et poivrez.

2

Détachez les noix des coquilles. Déposez un peu de sel sur le pavé chauffé sous la salamandre et déposez les noix dessus.

3

Couvrez avec la coquille de 1 saint-jacques (pour augmenter la température). Retournez-les au bout de 1 min. Servez immédiatement avec les tomates.

4

ASPERGES BLANCHES CUITES DANS DU RIZ

POUR 2 PERSONNES TEMPS DE PRÉPARATION : 10 MIN TEMPS DE CUISSON : 14 MIN **TEMPS DE REPOS : 14 MIN**

8 asperges blanches épluchées
400 g de riz basmati (ou de riz parfumé) cuit au rice cooker
Sauce mimosa sans huile (voir recette page 32)

Préchauffez le four à 200 °C (th. 6-7). Déposez les asperges dans un plat à gratin, puis salez-les. Recouvrez-les entièrement et uniformément de riz chaud.

1

Enfournez pour 14 min.

2

Laissez reposer 14 min. Au fond d'un plat à service, déposez de la sauce mimosa.

3

Dressez les asperges par-dessus. Parsemez avec des grains de riz grillés.

4

À savoir

Cette méthode de cuisson fonctionne aussi très bien avec les topinambours, les panais, le potiron, les carottes, les navets, les poireaux. Elle permet de conserver la vraie saveur des aliments.

ENDIVES BRAISÉES, CORIANDRE, ORANGE

POUR 2 PERSONNES **TEMPS DE PRÉPARATION : 10 MIN** TEMPS DE CUISSON : 13 À 18 MIN

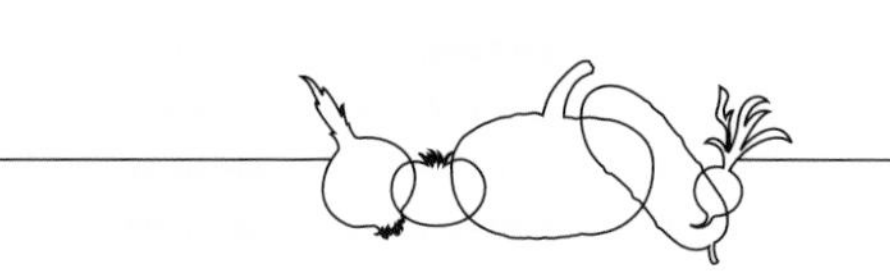

4 endives
4 oranges
2 pincées de coriandre en poudre
4 brins de coriandre fraîche
Sel

Lavez les endives, puis effeuillez-les. Faites chauffer une poêle à sec et déposez les feuilles d'endives, salez, puis mélangez et couvrez. Laissez mijoter à feu doux pendant 4 min.

1

Prélevez les suprêmes des oranges et récupérez leur jus. Ajoutez les suprêmes d'oranges et couvrez de nouveau. Laissez cuire pendant 4 à 6 min.

2

Ajoutez le jus des oranges, puis prolongez de nouveau la cuisson de 4 à 6 min. Ajoutez la coriandre en poudre et laissez infuser 1 à 2 min.

3

Lavez, effeuillez et ciselez la coriandre fraîche, ajoutez-la dans les endives. Dressez dans une assiette et arrosez le jus de cuisson.

4

Conseil

Cette recette peut être servie en entrée ou comme accompagnement d'un poisson ou d'une viande blanche.

CÉLERI CUIT DANS DU FOIN

POUR 6 À 8 PERSONNES **TEMPS DE PRÉPARATION : 5 MIN** TEMPS DE CUISSON : 2 H 15

1 céleri
1 poignée de foin
1 pincée de curry
Le zeste de 1 citron vert
Sel

Préchauffez le four à 200 °C (th. 6-7). Enveloppez le céleri et le foin dans du papier d'aluminium, puis enfournez pour 2 h 15.

Découpez le céleri en morceaux, saupoudrez de curry et de zeste de citron vert. Salez et dégustez sans attendre.

2

CHOU-FLEUR RÔTI AU FOUR

POUR 4 PERSONNES TEMPS DE PRÉPARATION : 5 MIN TEMPS DE CUISSON : 45 MIN

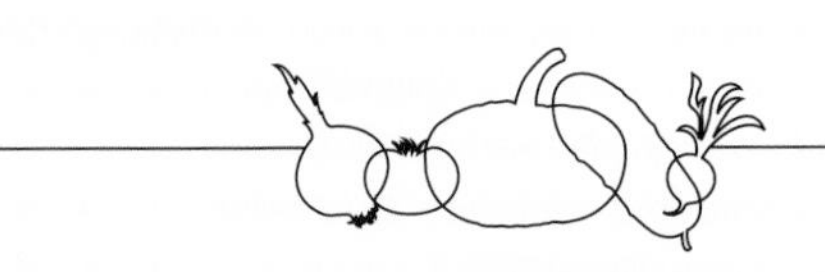

1 petit chou-fleur
½ oignon rouge
4 à 5 brins de coriandre
2 cuil. à soupe par personne de fromage blanc à 0 % de matières grasses
½ cuil. à café de sauce soja
1 filet de jus de citron vert
1 pincée de curcuma

Préchauffez le four à 220 °C (th. 7-8). Enveloppez le chou-fleur dans du papier d'aluminium et enfournez-le pour 30 min.

1

Après 30 min, enlevez le papier d'aluminium et laissez le chou-fleur au four jusqu'à ce qu'il soit doré, toujours à 220 °C (th. 7-8).

2

Coupez le chou-fleur en 8 morceaux.

3

Pelez et hachez l'oignon rouge. Lavez et hachez la coriandre, puis mélangez-les avec la sauce soja, le curcuma, le fromage blanc et le jus de citron vert. Dressez le chou-fleur dans des assiettes, puis ajoutez la sauce et dégustez.

4

ÉPINARDS À LA MOUTARDE

POUR 2 PERSONNES **TEMPS DE PRÉPARATION : 10 MIN** **TEMPS DE CUISSON : 1 MIN**

600 g d'épinards frais
1 gousse d'ail
1 cuil. à soupe de moutarde
Sel

Lavez, équeutez et hachez-les grossièrement les épinards. Faites chauffer 1 cuil. à soupe d'eau dans une poêle, ajoutez les épinards, couvrez et laissez cuire 30 s.

1

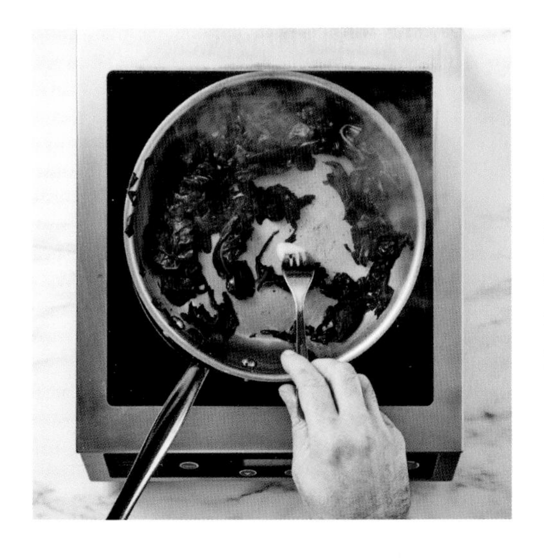

Piquez la gousse d'ail pelée sur une fourchette. Frottez le fond de la poêle avec l'ail jusqu'à ce que les épinards soient cuits et que les sels minéraux apparaissent au fond de la poêle. Déglacez avec 1 cuil. à soupe d'eau.

2

Coupez le feu et ajoutez la moutarde. Mélangez et salez. Dressez et déposez une pointe de moutarde sur les épinards.

3

Conseil

Cette recette peut être servie comme accompagnement d'un poisson ou d'une viande blanche.

DAÏKON À L'ORANGE ET AU CACAO

POUR 2 PERSONNES **TEMPS DE PRÉPARATION : 10 MIN** **TEMPS DE CUISSON : 10 MIN**

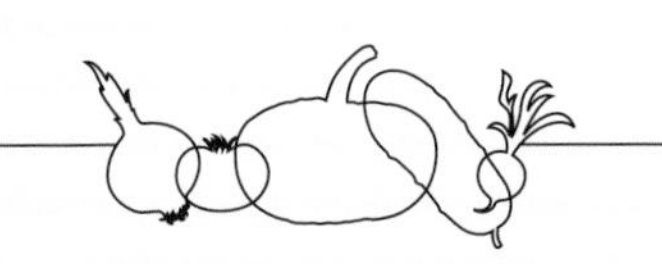

½ daïkon (400 à 500 g)
1 orange
1 pincée de grué
1 pincée de cacao en poudre
Sel

Lavez, épluchez et coupez le daïkon en tranches de 1,5 cm de large. Déposez-les dans une poêle, salez-les, puis ajoutez 1 cuil. à soupe d'eau dans le fond de la poêle et couvrez pour 2 à 3 min.

1

Laissez caraméliser, puis déglacez de nouveau avec de l'eau à hauteur pendant 6 min en grattant les sucs.

2

Prélevez quelques zestes d'orange, puis épluchez l'orange, prélevez les suprêmes et récupérez le jus et ajoutez le tout dans la poêle.

3

Retournez les palets de daïkon. Baissez le feu, couvrez et faites cuire pendant 10 min jusqu'à caramélisation en retournant les palets 2 fois pour bien les enrober de sauce.

4

Dressez les palets. Grattez le fond de la poêle et déposez les sucs sur les palets. Saupoudrez de grué et de cacao en poudre.

5

À savoir

Cette recette est la preuve que l'on peut donner de la couleur à la cuisine à l'eau : ce sont les sucs du daïkon qui caramélisent.

REMERCIEMENTS

Je tiens avec cet ouvrage à remercier Hachette Pratique et toute son équipe : Catherine Saunier-Talec, Céline Le Lamer, Lisa Grall. Merci pour votre confiance et votre professionnalisme.

Merci au photographe Nicolas Lobbestaël : déjà 3 livres ensemble, quelle joie !

Merci à Maylis Le Reste pour son implication dans le suivi de cet ouvrage et surtout pour son travail au quotidien au sein de notre entreprise.

Merci à mes équipes du *Grand Restaurant*, du *Clover Grill* et du *Clover Green*, qui donnent le meilleur d'elles-mêmes au quotidien, au service de nos clients.

Merci à mes fournisseurs : Terroirs d'Avenir, Olivier Metzger, Jean-Claude Huguenin, Patte Blanche...

Merci à la maison Bernardaud pour ces belles assiettes blanches qui ont été les supports parfaits de ces 50 recettes.

Et enfin merci à mon épouse Élodie et mon fils Antoine d'être avec moi dans cette aventure.

58, rue Jean Bleuzen – CS 70007 – 92178 Vanves Cedex

Pour l'éditeur, le principe est d'utiliser des papiers composés de fibres naturelles, renouvelables, recyclables et fabriqués à partir de bois issus de forêts qui adoptent un système d'aménagement durable. En outre, l'éditeur attend de ses fournisseurs de papier qu'ils s'inscrivent dans une démarche de certification environnementale reconnue.

Direction : Catherine Saunier-Talec
Responsable éditoriale : Céline Le Lamer
Responsable de projet : Lisa Grall
Responsable artistique : Nicolas Beaujouan
Mise en page : IDT
Préparation de copie et correction d'épreuves : Charlotte Müller
Fabrication : Amélie Latsch
Partenariats : Sophie Morier (smorier@hachette-livre.fr)

Dépôt légal : Mars 2018
67-7278-8 / 01
ISBN : 978-2-01-704275-4
Imprimé en Espagne par Estella Graphicas

www.hachette-pratique.com
facebook.com/hachettecuisine

hachette s'engage pour l'environnement en réduisant l'empreinte carbone de ses livres. Celle de cet exemplaire est de : 1,62 kg éq. CO_2
Rendez-vous sur www.hachette-durable.fr